劉福春・李怡 主編

民國文學珍稀文獻集成

第二輯

新詩舊集影印叢編　第84冊

【張我軍卷】

亂都之戀

自印（臺北）1925年12月版

張我軍 著

【徐少聲卷】

清溪

孫蔚天印行 1926年1月初版

徐少聲 著

【賀揚靈卷】

殘葉

武昌：時中合作書社 1925年12月初版

賀揚靈 著

花木蘭文化事業有限公司

國家圖書館出版品預行編目資料

亂都之戀／張我軍　著　清溪／徐少聲　著　殘葉／賀揚靈　著 —
初版 — 新北市：花木蘭文化事業有限公司，2017〔民 106〕
64 面／ 56 面／ 110 面；19 ×26 公分
（民國文學珍稀文獻集成・第二輯・新詩舊集影印叢編　第 84 冊）
ISBN 978-986-485-151-5（套書精裝）
831.8　　106013764

ISBN-978-986-485-151-5

民國文學珍稀文獻集成・第二輯・新詩舊集影印叢編（51-85 冊）
第 84 冊

亂都之戀
清溪
殘葉

著　　者　張我軍／徐少聲／賀揚靈
主　　編　劉福春、李怡
企　　劃　首都師範大學中國詩歌研究中心
北京師範大學民國歷史文化與文學研究中心
（臺灣）政治大學民國歷史文化與文學研究中心
總 編 輯　杜潔祥
副總編輯　楊嘉樂
編　　輯　許郁翎、王筑　美術編輯　陳逸婷
出　　版　花木蘭文化事業有限公司
社　　長　高小娟
聯絡地址　235 新北市中和區中安街七二號十三樓
電話：02-2923-1455 ／傳眞：02-2923-1452
網　　址　http://www.huamulan.tw 信箱 hml 810518@gmail.com
印　　刷　普羅文化出版廣告事業
初　　版　2017 年 9 月
定　　價　第二輯 51-85 冊（精裝）新台幣 88,000 元

亂都之戀

張我軍 著

張我軍（1902～1955），原名張清榮，生於臺灣臺北。

一九二五年十二月出版（臺北）。原書四十開。

抒情詩集

亂都之戀

張我軍作

1926.

序

人生無聊極了！苦悶極了！

僅僅能夠解脫這無聊，安慰這苦悶的

只有熱烈的戀愛能了！

實在，沒有戀愛的人生，

是何等地無聊而苦悶呀！

然而，戀愛既不是遊戲，也不是娛樂呵.

眞摯的戀愛是要以淚和血爲代價的；

我曾經過了熱烈的戀愛生活，

且爲了這傾了無數的血和淚.

這小小的本子裏的斷章，

就是我的血和淚所留下痕跡.

我欲把我的神聖的淚痕和血跡，

献給滿天下有熱烈的人間性的

　　青年男女們！

1925，12，14，

目　次

沈　　寂

沈　寂

在這十丈風塵的京華，

當這大好的春光裏，

一個T.島的青年，

在戀他的故鄉；

在想的愛人.

他的故鄉在千里之外，
他常在更深夜靜之後，

對着月亮兒興嘆！

他的愛人又不知道在哪里

他常在寂寞無聊之時，

咀咒那司愛的神！

一九二四，三，二五，在北京

—1

對月狂歌

這樣黑暗的世界，
在這沈寂寂的夜裏，
殷勤地展開着你慈愛的眼睛，
熟視破窓裏的窮人；
我感謝你！我讚美你！
呵呵！月裏的美人喲，
你是我僅有的知己！
你是我永遠的伴侶！

一九二四，三，二六，在北京

無情的雨

10 首

天是還未明的;

我的睡魔已經跑去了.

哦哦！夜來監視着,

不顧他繼續落下去的雨,

因了幾小時的貪眠,

聲勢愈發猖狂了.

無情的雨

聽一滴滴擲在屋瓦上的雨聲,
如一根根的針在刺我的心房.
天呀!你忘了麽?——
今夜的月底下,
是我們要造我們的
甜蜜的歷史的一段呀!

無情的雨

唉！唉！唉！這時候，
怕伊也被那如針刺的雨聲
呌醒過來了。
雨呀！快點兒歇息罷！
莫要把伊的柔腸刺斷呀！

無情的雨

雨是已歇了.
太陽似乎怕什麼,
羞澁澁地不敢露面.
雲縫裏,
偶爾射出來的一片微光,
强調了我無限的希望!

可是懶洋洋的雲，
老是不肯飛散.
哦！原來不是不飛散呵，
四面到天盡處，
到是沒有容他的空地.

無情的雨

黑的雲，灰色的雲，
糾做一團團，
只在這近處亂滾。
我不安的心兒也跟着
在跼促的心房裏，
滾來！滾去！

無情的雨

一會兒，昏濛的世界，
又下了一場翻天覆地的大雨.
街道上，
剩下幾個沒了半身在水中，
拉着車兒走着的人力車夫之外，
已沒有行人之影了.

無情的雨

傍晚時候,
不耐煩的雨又歇了.
約束的時間也早到了.
可是這樣滿街道的泥濘水窟,
怎得伊出門!

無情的雨

哦哦！屋角上的白雲，
扶擁着初罷晚粧的月姐，
珊珊地步出雨後的天街了.
忙忙在趕路的月姐呀！
你是不是會你的愛人去？

一一

無情的雨

本來是該和伊共賞的今夜的明月，
却爲了這早晚的無情的雨，
强教人各在一方，
望着光瀲瀲的月光夜色，
思量着甜蜜的夢，
過這無聊的一夜！

1924, 6, 12, 在北京

遊中央公園雜詩

6 首

小山上，

綠草又長了幾許了.

不錯呀！

相別已兩度月圓咧.

遊中央公園雜詩

草兒煩悶着·
似乎在問我:
前回那位少女,
別來好麼?

遊中央公園雜詩

月姐冷笑着·
似乎在問我:
前回那位少女,
沒有伴你來嗎?

遊中央公園雜詩

蟲蛙們圍繞着我，
熱心地奏起他們的夜曲；
似乎在催我：
重理舊日的夢.

遊中央公園雜詩

——小草兒偷聽了我們的細語.
月姐照澈了我們的心田.
蟲蛙們爲我倆奏了和諧的曲.
我倆陶醉在自然與愛的懷中,
相對着微微地笑!

遊中央公園雜詩

草兒,

月亮,

蟲蛙們,

在微凉的晚風中,

互相禮讚了.

我悵悵地說:

“再見!”

1914, 8, 8, 在北京

煩　悶

4 首

每到黃昏時，

我的心兒便狂跳，悽酸.

心兒狂跳，心兒悽酸，

都是因了屋後的那株老樹，

滿臉浴在斜陽裏，

現出憂愁抑鬱的金黃色；

無氣力地，悄悄地，

漏出人生寂寞的消息！

[illegible]

我站在老樹的背後，
沈思復嘆息！
默默地，
偷聽了他帶來的消息：
他說我故鄉的風景如舊，
只多着一個年老的母親，
日日在思兒心切！
一會兒太陽沈下去了.
他也把憂愁抑鬱的臉收起，
我也無從再探消息.

煩　悶

每到月明時,
我的心兒便狂跳,悽酸.
心兒狂跳,心兒悽酸,
都是因了那在屋角探首的月姐,
現出伊那怪無聊而冷淡的臉色;
無氣力地,悄悄地,
漏出人生寂寞的消息!

21

煩　悶

我坐在紙窗下斜仰着首，
沈思復嘆息！
默默地，
偷聽了伊帶來的消息；
伊說我的愛人依舊
依舊被牢圈牢住，
故不能和我常談蜜語！
一會兒烏雲密佈，
月姐也收起伊怪無聊而冷淡的臉色，
我也無從再探消息！

1924，9，在北京

秋風又起了

6 首

秋風又起了.
故鄉的慈母啊,
不知道您老人家,
怎樣地緊念着
海外的孤兒！

給母親的信，
都說兒子身上好．
但是呵，其實這身兒，
是向着憔悴，消瘦！

去年的初冬，
在陰沈沈的鷺江江上，
一隻船送了母親
回到故鄉去，
一隻船載着我，
向了流浪的旅程·

母親呀！故鄉的母親！

其實兒不該送您回去，

而獨自飛奔到天外.

如今呢？

身兒病，

心兒也病，

昔日的願望，

又一無所成，

唉！何處是我的前程？

夜已深了.

窓外蟲兒聲甚哀,

二年前奔喪的光景,

遲遲現出眼前來: ——

銀灰色的朦朧的月光,

映照着了父親的墓碑.

1924. 9, 在北京病中作

前　途

半夜破了夢醒來,
伸一伸手摸索了沒有伊在.
環顧是黑漆漆的.
屋外可怕的夜的聲,
是將落的樹葉兒挺在秋風裏,
作最後的悲壯的雄呼:
我的心兒忽而一陣陣地酸痛;
嘴裏念着伊可愛的名字,
腦中浮出伊怪可憐的形容,
胸兒緊緊地靠着被兒作抱擁,
莫名其妙的熱淚從眼窩角.
一滴滴地直滾下來.
唉！茫茫的宇宙,

前　途

短促的人生，

青春將去了，

前途！前途！

可怕的，可詛咒的前途！

1924、中秋前一日在北京

我　願

3　首

我願做個碗兒，

日日三次給伊密吻，

吻後還留下伊的口味.

我願

我願做個鏡子，
置在伊的房裏.
大清早伊起來，
便和我相視而微笑.

我　願

我願做個牧童，——
倘伊是個浣衣女.
暮暮朝朝，
我牧着牛而伊擣着衣，
在水流淙淙的小河畔，
從容地，自在地，
和伊交談蜜語.

1924、10、在北京

33

危難的前途

一夢醒來,

枕布和袖口怪濕着.

確是剛流的熱淚哪!

但是這却爲了什麽?

我仔細重尋夢路:

分明是伊悽慘地

告訴我伊的苦情,

所以引起我

想起我倆的前途,

想起我倆的危難的前途!

1924、10、4、在北京

亂都之戀

15 首

(亂都是指北京·因爲那時
正值奉直開戰,北京城內
外人心頗不安,故曰亂都.)

不願和你分別,
終又難免這一別.
自生以來,不知經歷了
多少的生離和死別,
但何曾有過這麽依戀,
這麽愴惜的離別!

35

亂都之戀

亂閧閧的北京,
依舊給漫天的灰塵籠罩着.
我大清早就督着行李,
衝着雜沓的喧囂,
冒着迷濛的灰霧,
獨向將載我走的車中去.

亂都之戀

秋朝的天空,
半晴不晴地,
散射着很微弱的朝暉.
微光裏,愁慘中,
火車載我向南去了.

火車縱無情,
火車縱萬能,
也載不了我的靈魂兒回去,
我已盡把他寄託在這里了.

唉！昨日在先農壇的樹蔭下
話別的一對少年男女
今朝一個在家中嘆息，
一個在鐵鐵地響着的車中含淚！

陶然亭惜別之處,
今朝牧童和樵女,
定必依舊在那里
交他們的蜜語,
然而昨午小岡上的
一對少年男女,
今朝何曾有個影兒?

火車漸行漸遠了.

蒼鬱的北京也望不見了.

呵！北京我的愛人！

此去萬里長途,

這途中的寂寞和辛苦,

叫我將向誰訴！

儞知道嗎？我的愛！
我把儞的小影兒揣在懷中，
正如和儞並坐而抱擁.
一站站車停時，
我都把你拏在掌中，
默默地向你訴說：
我的離情悽楚！

噯唷"再見，兩年後"麽？

況是萬里長途呢！

我不願歸去了，

但又不得不歸去呵！

我只得把我的靈魂兒，

交給伊管領在亂都.

秋柳！鐵路傍的秋柳！
春去了你憔悴嗎？
但是，你何須憔悴，
春不是也在戀你嗎？
明年暖風吹時，
春又將跟他來了．

旅店的孤燈暗淡.
窓外的明月悽慘.
呀！月又圓了,
人已散了.
我獨坐孤燈下,
深深地嘆息復嘆息！

亂都之戀

長途的旅行，
是何等地辛苦！
身疲困而心悽愴的旅人，
連夜又着趕行李着，
奔向船上去了.

海上的明月分外皎潔.
海水微微地波着,
涼風徐徐地吹着;
這樣月白風淸之夜,
愛人喲!幾時纔能叫我不感着
如今夜的孤獨無聊!

晚風微微地吹着，

好像是行人在嘆息．

夕陽剛剛沈下去了．

西山上的天空，

染着半天的金黃色；

呵呀！萬種憐戀之情，

盡漂浮在這黃昏的空中！

威海衞的連山一直向後退了·
船底下漸漸地發出沙沙之聲,
雄糾糾地向着茫茫的大海去·
去呀!去呀!
遠了!遠了!

192,410.14.於黃海之上

哥德又來勾引我腦

6 首

"… 我欲緊緊地抱住伊，
　好把戀愛的苦惱來脫除；
　然若不能脫除這苦腦，
　則情願死在伊的胸上！"…（哥德句）
我獨自在田疇徘徊之時，
哥德又來勾引我苦腦！

我跑到小河上，

佇立在一條木橋當中，

馳想萬里重洋外的你.

萬千愁緒湊成一根尖銳的針，

一直把我的心兒刺！

唉！白雲依依飛向天外去，
故鄉的山從四面把我圍住；
望眼連天，何處是伊——
我的愛人的居處！

往事盡是不堪回首，

將來更是不堪設想，
此刻呢？

更是萬分難受！

我把盡有的熱淚，
灑到小河裡，
吩咐小河的流水，
把我的熱淚送到伊的心湖去.

但是，小河的流水呀，

倘你能流入北方諸海，

也流不到伊的心湖啦！

然則，我的淚滴將打發誰送？

我今日的苦惱，

怎能得伊知道！

1924、11、11、在板橋

春　意

溫暖柔和的春日下，

春草青青，

春水盈盈，

柳條兒嫩綠地吐着微笑：

遠方的人呀！

爲何到此，

我的心潮便高漲？

哦！這就是春意嗎？

1935、春日在板橋

出版預告

中國國語文作法

（一名白話文作法）

出版期　一九二六年二月中旬

編述者　張　我　軍

紙　數　四六版　約二五〇頁

定　價　未　定

大正十四年十二月二十五日　印刷
大正十四年十二月二十八日　發行

臺北市太平町三丁目貳拾八番地
著作兼發行　張　清　榮（我軍）

臺北市上奎府町二丁目二十六番地
印刷所　臺南新報社臺北印刷所

代賣處　臺灣民報各地批發處

定價　三十錢

清溪

徐少聲 著

徐少聲，生平不詳。

孫蔚天印行，一九二六年一月初版。原書六十四開。

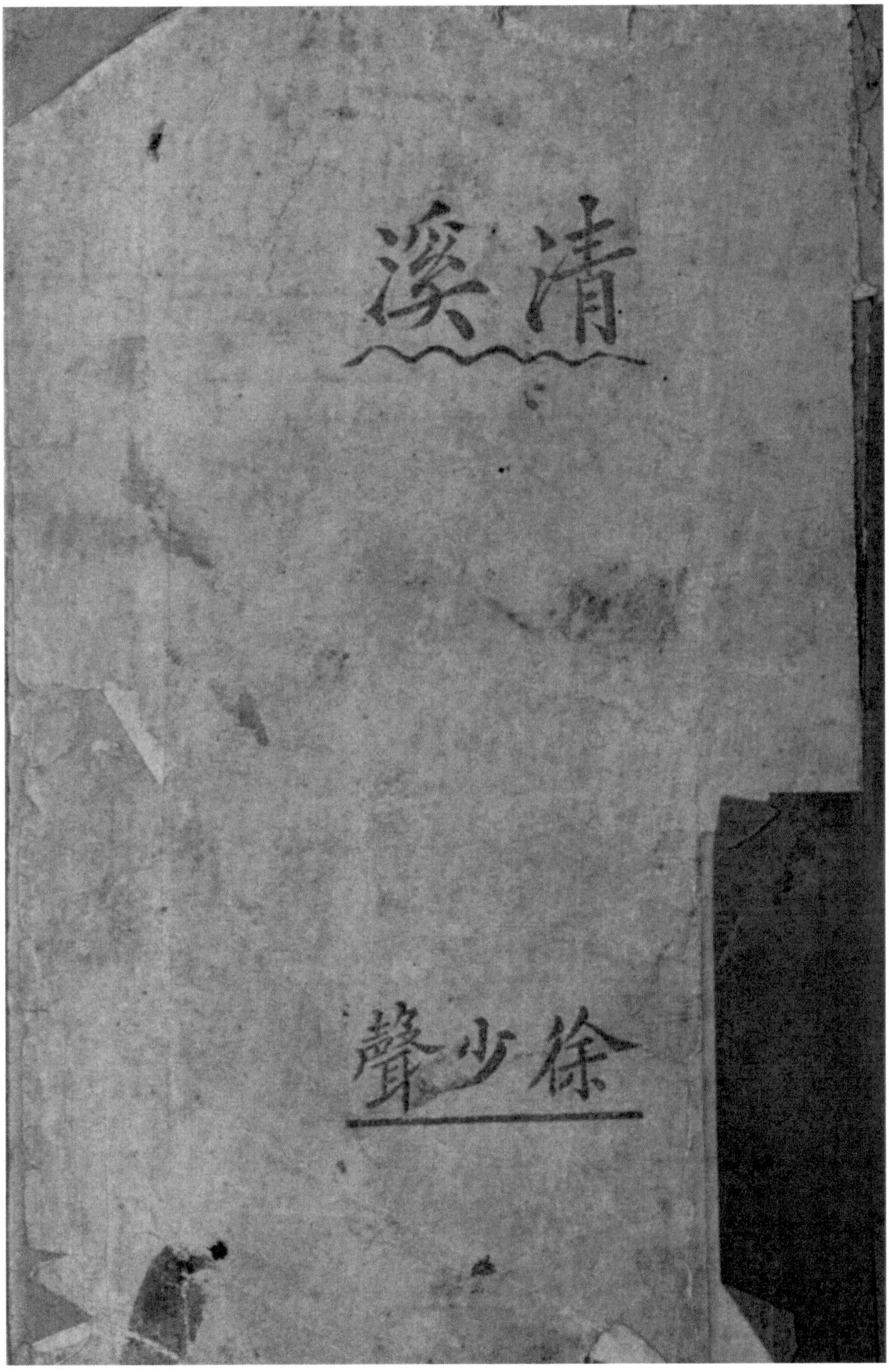
清溪

徐少聲

清溪

叙言

少聲與我幼時曾同在一個私塾裏念過好幾年的書。後來我因爲跟了父親到外邊去，改在一個學校裏肄業。從此兩方消息，完全隔絕了！

今年八月間，在報上看到他底清溪，不禁驚異他竟有如是神妙的藝術手腕！

月間回里，訪晤於其家中，我就向他索閱清溪全稿。他說舊稿已無，乃出示曾發表之報紙一帖。我看了一徧說，「這樣一頁頁的爲其他文字隔絕着，而且錯字很多，叫人看起

清溪詩集　敍言　二

來很多不便，未免要減遜了詩的原神不稍。橫竪字數無幾，何不刊成一本小小的册子呢？」他却說了一句客氣話，「那是愈加要見笑了。」

後來我將那帖報紙借了來，回到家裏，仔細的看了好幾徧，深覺得這實在是一卷含有難言的美的不可多得的詩集。

第二天我又跑到他家裏，竭力的慫慂他刊印單行本。他仍是不允，我說我給你刊印吧，幸而他反對不力了；我於是大膽地給他付印了。

曾記得詩人小泉八雲說，「當命途乖忤的時候用詩歌來自抒其情感，這是很好的習慣。」又說，「詩的創作，應當在困苦艱難的境遇中。」今少聲的這卷詩集，我雖不能斷其爲怎樣高超的文學創作・，要之說是・・他在痛苦難堪的遭遇中勉自抑制着的時候所發抒出來的眞情流露的高尙的文學作品。這決非過分的話吧！

這卷詩集共計有詩一百零三首。又分上中下三集・，據他說，這便是表示他心境變遷的較大的三個段落——在做這些詩的時期以內。

孫蔚天，一九二五，十二，十八，夜。

清溪詩集　敘言　　四

我要將無數的絲絲詩意，
束在一起，
打一個寬寬的結兒。

清溪上集

一

清澈的溪澗，
接受了由巖間砂隙瀝下的點滴，
便要一路行一路唱的送往江河裏去了。

二

當輕煙般的詩情
飄漾在心空中的當兒，
總難提防
外來無情的風底打擾。

三

夏天的清晨，
涵着晶瑩的露珠的嬌嫩的花朵，
向着飛舞的蜂蝶，
只是羞怯地微笑；
正如青春的女郎對他新戀的情人一般的羞怯地微笑。

四

無意中
　回憶起童年的事跡來，
心坎裏
　只感覺着些輕煙般的悲哀和甜蜜的餘味。

五

久別的弟弟呵，
你還記得在後園裏搭小屋的時候麼？
現在呢，
環境祇許我們回慕罷呵。

六

記得我們雛雞般打架的時候，
你實在也有點好玩呀！
但是我覺得我也太狠惡了：
你是當然打不過我的，
——倒底我比你大些，——

清溪詩集

四

常常要把你扭倒在地上，
或在你頭頂上臂博上打幾下。
不知怎的你我却總越鬬越親熱——你也不怕打不過我，
我却總要在你起上手！
總之我們所鬧的鬬爭，
　有趣而可笑的鬬爭，
在現在回憶起來是很甜蜜的，
在那時也很覺得爽快的呵！

七

不住的忽長忽短地伸縮焰耀的一顆黃黃的燭光呵，
別顫動了我方在凝攏來的思詩哩！

八

無邊的黑暗，
却不能籠化了我這間小小的貯着淡黃色的屋子。

九

在死一般寂靜的夜裏陡發的爆竹聲呵！
感謝你把我那在深奧崎嶇的思路上徬徨着的心兒立刻領了回來！

十

要知道將來的果是如何，
只須觀察現在的花。

十一

用堅忍的力
　從困難痛苦中
　　掙扎出來的成績，
才是眞實的無上的幸福與快樂。

　十二

事業的基礎，
放在經驗的磐石上，
才有成功的建築；
　理想的鬆泥上，
不是可以安放事業的基礎的！

　十三

在光明處望不見在黑暗處的東西，
在黑暗處却能很清楚的望見光明處的物事。

十四

青年人！
你不知道死後的况味是如何，
爲甚不肯爲幸福而犧牲生命？

十五

月兒是「眞」「善」「美」「愛」俱備的了，
但總不免要被強烈的太陽掩蔽掉。

十六

過去的命運告訴我們：

倘若你沒有打倒樂園之牆的能力，
休想進樂園！

十七

清澈的溪流，
怎的肯替騷人帶去繁雜的意緒，
送到江海裏呢？

十八

輕風是美妙的仙帚。
當我去訪自然慈母的時候：
她輕輕地拂着，
把我游絲般的飄送到縹渺澄靜的天國裏去了。

十九

清溪裏的小魚呵！
世界上要算你底生涯是最純潔了！

二十

「死」是一座牆，
是一座永久堅固地立着的牆。
誰也推不倒這牆，
誰也不知道這牆外是怎麼樣。

二十一

寂寞的深夜，
忽地從街頭傳來一陣悲慘的哭聲，

清溪詩集　　　　　　　　　　一〇

我底空虛的心陡地破裂了！

二十二

煩悶的嚮導者——
怯懦的鬼！
從此我不要你再侵入我心國底境界！

二十三

我的確是無數的「弱」的細胞組織而成，
的確是沒有一個細胞不是「弱」的組織！
我沒有勇敢的心，堅恆的志；
更望開什麼快樂的花，
　結幸福的果！

我不過總有一顆心，一副肉體——雖然都是無用的——
我總該可以犧牲此雖然都是無用的心身與命運的魔鬼決一死戰，
以痛快我久悶的靈魂！

二十四

一隻被追逼着的跛狗，
一壁逃，一壁狂叫。
牠這叫聲裏，
含着何等熱烈的詩意！

二十五

秋天——

誰肯囘憶暑天被蚊吮的況味？
春天——
誰肯囘憶寒天患凍瘃的痛苦？

二十六

明月放清輝，
含無限愛美，
把個全宇宙，
染成銀世界。

二十七

皎皎的月夜，
天空裏蕩漾着幾堆白雲。

清涼的晚風，
從雲端習習地送來。
悠宛而縹渺的琴聲，
領我到平和而又香甜的夢鄉裏去了。

二十八

夢神是我所最親愛的呵！
因爲當我在夜深人靜，寂寞無聊的時候，
他能將我所最喜歡享受的過去的孩幼，
重複的給我享受。

二十九

清風明月之下，

誰能不感到自然恩惠的偉大？

三十

月夜裏的簫聲呵！
人們底心，
都給你捉住了！

三十一

簫聲！
我感謝你，
在寂靜的月夜裏，
把我領到清幽而溫柔到不可言說的妙境！

三十二

我要將這枝破筆，
撥出在心靈深處藏着的密意，
安放在這張紙上，
投落到你底心裏。

三十三

倘若我是小鳥，
我決不要在別的地方築巢；
我只要在竹籃裏築巢，
好讓我分潤一些牠們底幽妙的生涯。

三十四

幽靜的夏夜：

清溪詩集　　一六

我躺在澄潔的月光之下的沙發上，
正在朦朧地跟着被微風挾着的縹渺的琴聲向甜蜜的夢境走去，
却又被一陣嘈雜的犬吠聲趕囘來了。

三十五

鳴蟲們奏着悠揚的樂音，
微風兒送來和暢的清馨，
更挾來些隱約地悠宛地的簫聲，
我那心靈深處積着的塵慮全被洗了干淨。

三十六

溪水下的石子呵！

誰比得上你的純潔呢！
——的確只有小魚配得上做你底伴侶吧！

三十七

我坐在自然慈母底懷裏，
探首望着四下醉人的景緻。
驀地一陣清風，
把我絲絲詩意，
吹散若馬尾。
我低首沉思：
只好將寂寞的圈兒，
把詩意束起。

三十八

簷水滴到水缸裏，
奏出比什麼都要好聽的調子！

三十九

萬籟無聲中，
我深深的了解了「靜寂的美」了！

四十

風兒推門，
「呀——」地一聲，
拂散了我輕煙般的詩情。

清溪中集

四十一

晚來的紅雲，
是我心頭燒着的火呵。
蔚藍澄靜的天，
是我柔嫩緩爛的童心。
如今天上的紅雲上，
更添上一層灰色的雲了。——
我底失戀的悲哀呵！

四十二

從道士歌薤的凄清的簫聲中，
我發覺了死別之神秘了！

四十三

蒼涼的月光，
映着我床帳，
床帳中的我，
對景欲斷腸。

四十四

寂寞的深夜，
斷斷續續的蟲鳴，
隱隱約約的犬吠聲，

衝破了蒼涼的夜底寂靜。
故人呵！
如此美妙的夜景，
你也可曾領略到？

四十五

終夜的囈語：
「我底故人呢？
我底故人呢？
我底故人到何處了呢？
我底故人到何處了呢？」
同睡的人可憐我說：

「造物者的確太殘酷了！」

四十六

沒有一個印象
　在我底心版上
　比我底文瑛姊姊底小影更深刻了的呵！
也沒有一次傷痕
　在我底心花上
　比我底姊姊喪失了的悲哀之重創更大了的呵！

四十七

簷上的黃首鳥，
噱噱的在喚牠底愛好。

我好似被催眠似的，
首靠在支在書案上的手上，
昏昏迷迷的睡去。
驀地風兒推門，
「呀」——的一聲；
我不覺地驚醒，
「愛人進來了麽？」
沒有說出已先覺到了；
那還有愛人呢？
愛人已不在了！

四十八

玫瑰已將開，
紫羅蘭也已蓓蕾；
明日折下來，
吾將贈與誰？
贈與愛人罷！——
那還有愛人呢？
愛人已去了呵！

四十九

愛人呵！
你真從此一去不復回了麼？

五十

倘若已到不復回的地方去了的我底愛人，
也有如我會見她的一般的夢境的時候；
那麼我還可以得到些慰安。
啊，但是有誰來給我傳此中消息呢？
——我這苦惱的失戀者呵！

五十一

我底愛人呢，
我底愛人呢？
啊，在枝頭上叫喚的小鳥，
牠終有找尋着而互相嘰嘰噥噥的很親熱的談話的時候。
怎的我底愛人呀，

永不能相晤了呀？
我底愛人呀，
我底愛人呀！

五十二

當那五更時候，
我倆蘇蘇的醒來，
她說請我接受她那顆愛我的心，
我暗自竊幸，
　還好不給她看見，
　　我那漲紅了的臉。
這回憶是什麼味覺呵，

又悲苦又酸甜？

五十三

從悠揚的誦佛聲中，
也可以尋到一樂呵！

五十四

庭中薔薇落更開，
故人一去不復回；
若要故人重相見，
除非故人夢中來！

五十五

在夢中的一瞬間，

與戀人溫甜的蜜語；
換得了
醒來難堪的寂寞。

五十六

在黑暗裏，
我偷流我底眼淚於枕上；
在光明處，
我偷流我底眼淚向腹中。

五十七

夢境是我惟一的最甜蜜的故鄉呵！

五十八

炎熱難堪的夏夜，
感謝鳴蟲們唱的溫柔的催眠歌，
慈母的一般的催眠歌。

五十九

無事且看花，
美麗的花呵！
請借我一朵，
給我戀人襟上掛！
花兒允了我，
折了美麗花，
緩緩地躑躅，

清溪詩集　三〇

尋我戀人家，……
尋遍天涯地角，
不見我戀人蹤足。
「我底戀人究何落？
我底戀人究何落？」
不覺悲從中來，
掩面嗚咽哭。
哭聲未已頓醒覺，
始知方才一南柯；
但感到戀人眞物化，
哀痛涕淚越增加，……

直到紅日東升上，
　淡月西沉下。

六十

繚繞的輕煙，
正在情意纏綿的相互依戀着。
驀地一陣無情的風，
把他們衝散了，
　化爲烏有了。
朋友呵！
人生也何異於輕煙呢？

六十一

日光愈酷烈，
蟬兒愈喊得起勁。
蟬兒呵！
你是弱小者的先鋒！

六十二
（風雨之夜三首）

一　狂風

何處吹來的狂風，
猛可地把我從睡夢中驚醒？

一　短雨

「的篤的篤」地響起來了，

可是愛人底脚步聲麽？
哦！怎的又由微輕而消滅了？

一　雨打天窗

雨點打着天窗了！
呵！這多麽清脆而又洪亮的音調！

六十三

淺狹的小溪，
是無邊大海底始祖。

六十四

我走過曲折的山道，
在刺叢中摘了一朵美麗的野花。

我想把牠送給比牠更美麗更可愛的我底愛人；
但，但是我底愛人到何處了呢？

六十五

在碧草叢上映着的片段的月光，
變成瑩潔的白銀了；
從樹林葉際灑下的零碎的月光，
變成清新的花樣了。

六十六

寂靜的月夜裏，
我兀自坐在蒼涼的床邊，
低首思念着我底愛人。

夢神悄悄地走到我面前，
撫着我底肩膀微笑說道：
「你底愛人領來了！」

六十七

我在夢境裏偕我底愛人，
牽着手蜜語着在那碧澄的池邊。
驀地一聲鐘響，
打碎了我脆弱的心片。

六十八

寸許小魚兒，
成羣結隊的在澄澈的溪水裏掉着靈活的尾巴很自由的游

來游去。
黃鶯兒唱着美妙的歌調給牠們聽，
蝴蝶兒在溪上緩緩的飛舞；
溪邊的小草微顫着頭感歎自語，
「做誰都莫如做小魚！」

六十九

一朵鮮美的紅花，
纔被風兒離間了她底母親；
接着就又被溪水挾着，
一刻不敢停的流去了。

七十

清冷的風，
　拂着我底衣襟；
明靜的月，
　照澈我底心鏡。
縹渺的白雲，
疎疎的樹影，
　一般的幽妙，
一般的温存。

七十一

悲哀的琴調，
却能令人感到神秘的快慰！

七十二

記得那個時候：
燈下對坐，
「情人，我心愛的情人！
我要將你這兩顆櫻唇摘下，
掛在我胸前，
讓我好時常接吻！」
我這樣對她說了，
她默然無語；
祇從她微紅的頰上報我以微微地一笑。
現在情人底蹤影杳渺，

情人底笑容却猶在眼罩，
我底脆弱的心兒怎能不碎了？

七十三

上帝將不適於生存的收回去，
將適合於生存的放下來。
朋友！倘若你底戀人去了，
請你要將上帝底苦心諒解！

七十四

人生不過是在宇宙無限中的一些有限的極微小的東西，
過了這一些有限的極微小的時期，
便仍歸到宇宙的無限中去了。

清溪詩集　　　　　　　　四〇

七十五

已到宇宙的無限中去了的我底愛人呵！
那是永久的故鄉，
你可不必悵惘呵！
過了微小中的微小的時期，
我們也都要回來了。

七十六

在我底眼前，
並肩走過一對少年戀人。
寂寞呵！
怎的你就要來叩我底心宮之門呢？

七十七

我要頌讚茄兒；
他開了灰色的花，
結了赤色的實。

七十八

風涼的晚來，
蚯蚓「吁：：」的沒間斷的只是直叫。
灰白的晚雲停滯着不動；
累得星兒月兒都鑽不出頭來。
兩三隻夜鳥——還不知是蝙蝠……
儘是條東倏西的飛迴。

我心空中底煩惱和悲哀，
也好如夜烏般的只是不住的飛迴。

七十九

促織已帶來秋底消息，
但是你也可能將我底相思的消息送到我底愛人那裏麼？

八十

青年人問清溪：
「你那洪亮的歌聲裏，
怎的多會着悲意？」
清溪囘答青年說：
「我只因受了主人悲哀的暗示，

不自主的就要唱出那樣歌聲。——請恕我！
我原也想將完美的凱歌唱與你聽！」

清溪詩集　　　　四四

清溪下集

八十一

朋友！請原諒我些罷：
我底心絃，
被幾縷愁絲糾纏的緊緊，
怎能彈奏出和諧自然的心聲！

八十二

澄清的溪水，
流到江河裏，
變成混濁的了。

這原不是溪水願意的，
也不過被環境促成罷了！

八十三

案頭的花香，
繞到夢境深處，
成全了美妙的夢景了！

八十四

花架下
　靜坐沉思，
驀聽得
　帶着淒慼的促織聲；

知道秋已悄悄兒來了。

八十五

寂靜的院子內，
有時風兒吹到竹篁裏，
竹葉相擠着蕭蕭作響，
小鳥噱噱的應和了兩三聲，
便又寂然了。

八十六

竹葉落到書頁上，
——莫要吹棄罷！
夾在書頁內，

也好留下將來回憶呵！

八十七

朋友們！
倘若你能從沒有調子的溪聲裏感出些自然的趣味來，
我便要感謝巖石了。

八十八

上帝呵！
我什麼事情得罪了你呢，——
竟又以天下最難堪最痛心的事，
來壓碎我傷痕未復的心了？

八十九

父親呵！
這我很知道，
　你以兒子的生命是視得比自己的更重的；
但在這冷酷無情的人間，
　教我如何度這孤苦的生活呢？

九十

有時我癡癡的思念起我底生前的父親，
我父親底音容恍然活現，
　在我底眼前；
轉瞬又覺得到我可憐的父親已逝去，
正如有萬箭穿心呵！

民國十五年一月初版

清溪詩集全一冊定價大洋一角

著作者　徐少聲

印行者　孫蔚天

印刷者　紹興印刷所

殘葉

賀揚靈 著

賀揚靈（1901～1947），江西永新人。

時中合作書社（武昌）一九二五年十二月初版。
原書六十四開。影印所用底本封面缺。

賀揚靈著

殘葉

獻給天下
同情人

霓僧編

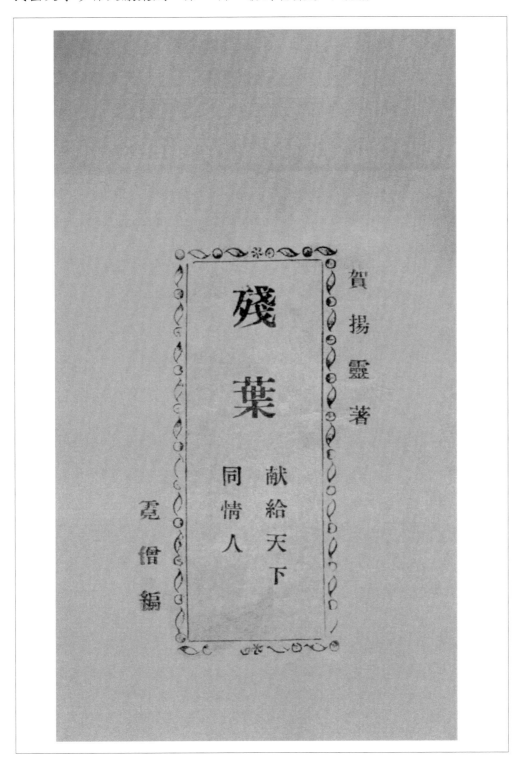

人生愁恨何能免？
消魂獨我情何限！
——李後主詞——

自序

年來新愁舊恨，無日不在我的心中，像毒蛇一樣的嚙食，像利刃一樣的宰割，尤其是在這個端陽節後重陽節前的幾月中。在這幾個月中，每念及我的傷心往事，禁不起這種苦痛的淚珠，總是一滴滴落下在我這個慘白，乾瘦，微顫的手心上；我不忍牠久凝住在手心裏，嘗着人世間種種冷酷的風味，便把牠點在我的墨筆裏，一些些，慢慢兒寫在這個薄薄的日記上；寫完了，又凝情反覆地去看；看了，一陣酸痛，又像利刃割入我心淵的深處，眼淚又撲簌簌地流下。

最悲慘的是每日午後，一抹帶着病容的斜陽，從街外枯黃的梧桐樹上，滲漏到我這間陰深沉鬱的斗室內；遠山楓林紅葉，因風捲起在悠碧的蒼空之下飛舞；我老是凝依着這個不上三尺的塵案上，搔首望着街外，頻頻嚎哭：

天呀！我幾番曾問過你：我前生究造了何孽，今生又結了何寃，愁恨偏這樣多?!但你終不我憐，不我憐也吧，還莽蒼蒼地扳着一副青白的猙臉，做出一種慘淡冷酷的微笑；近來有時還故意把天色陰

—2—

暗起來，一陣蕭瑟的西風，捲着颯瀝的秋雨，在向我的面前，無情地用力襲擊吹打過來；我爲之肌戰心寒，忙拿一塊被淚浸濕了的手帕蒙着臉，不敢瞻前，亦不敢顧後，只暗自低聲淒咽着——

唉！萬事終歸幻滅，百年只一剎那，人生亦不過是流星一瞥，曇花一現，多活幾年，少活幾年，看來原是一樣；我何必這樣忍而又忍，徘徊瞻戀，剩此面色灰白，瘦骨稜稜的殘軀，淵落在這個冷刻無情的惡濁塵寰裏，奄奄度着傷心流血的生活?!我幾次起過自殺的決心，準備了一切，收拾了一切，等着世界末日之快到；在此二十三歲的短促生命中，就飽嘗這般多的酸，辛，甜，辣，離，合，悲，歡種種不同樣的味調，來日大難，更將如何結局?!我還何所望?!我還何所求?!……但人世間生的誘力和淆惑，總是無時無刻在軟化我這種就死的勇氣，到底沒有自殺成；可憐！一縷殘息未斷的靈魂，仍是徘徊在此白楊蕭蕭，墓門深深的荒塚旁；唉！浮生若夢，幾時纔休?!

　不諒人只的朋友，日來強把我這些血淚迷糊的幾張殘葉，付之棗梨，還強我要忍淚作序；我抗不

—4—

起他們嚴厲的敦促，提筆欲寫，又寫不出什麼來；寫下來的這幾行，亦是血般淚痕，適足搗傷天下同情人的健全心緒，究又何苦來?!然回顧這幾張殘葉，又已爲殘忍手民的黑手，暗地把獵攫去；無可奈何，也只有搵着眼淚，咽着喉嚨，抵掌唱此「都了歌」以應之。

歌曰：

新愁舊恨兜懷抱，
悶如大海之飛濤，
悶如狂絮之亂飄；

曾經我——
幾許冷淚兒拋；
曾經我——
幾許熱血兒潮；
怪的——
人世大奇巧；
總是——
別時多，聚時少；
哭時多，笑時少；
萬事不由人計較，

—6—

何必勞形苦海自煎熬?!
不如——
　白雲深處，
　一坵蓬蒿;
伴着斜陽衰艸，
聽着鵑啼猿號;
何等超拔，何等逍遙?!
更得風吹雨打，
　傷心往事都休了!!
　　於一個斜風細雨的黃昏

—8—

春前墮淚，秋後銷魂，
　誰知我的衷情？
我將把這腔沈鬱幽憤，
掩沒在我肚子裏——
　生生世世，不高歌，亦不沈吟。
茫茫塵世，
　知我者自知，
不知我者自不知；
我何必爲銷自己的塊壘，

而借他人的琴樽?!

二

白雲橫鎖着峯巔，
黃葉漫蓋着徑頭，
茫無去路，
荷着一把月鋤，
佇立仰望——孤墳何處？
獨憐——我這束怨恨，
沒個安排處！

三

勞勞塵世，幾時得休?!
花前月下，
　曾挪弄多少有情男女?!
一生雄心壯志，
早已付之東流；
而今回首，
　萬事俱悠然——
　　只贏得紅淚兩袖！
唉！早知今日，

何必當初！

四

後園裏，
一夜西風，花落葉殘，
再也引不起游客的顧盼。
記得花開時節，
顏色多豔麗，
氣息多芬芳！
曾誘惑過多少少年郎?!

—12—

曾迷戀過多少少姑娘?!
如今空空地—落得一場，
究竟悲呢?喜呢?
看來原是一樣!

五

世態人情，
像一般行雲流水，
可聽其自來，
亦可聽其自去，

用不着歡喜和憂愁；
一切好作如是觀，
落得悠悠自在，自在悠然；
不然，以情逐情，
終將被情所挪弄，
是多麼一場滑苦的新劇！

六

南北山頭，
滿目荒塚，

瘗下了多少
王候，書生，美人，豪雄……
至今只剩一坵蓬蒿，
又知誰是，誰非？
誰賢，誰愚?!

七

人生原是一場夢劇，
你也搶去做，
我也搶去做；

做後醒來，
又不知誰是夢，
誰是非夢！

八

月圓月缺，
是雲時一現的幻影；
何必看到圓，
就陪着笑臉？
何必看到缺，

—16—

就陪着流淚？
人總是這樣自苦，自撥——
百年容易，
轉眼頭白，
萬事何不付之游戲？！

九

生活是痛苦的結晶，
新的生活，
也就是創造新的痛苦；

但在創造的初期，
　却別有一般嚼不盡的滋味。

十

酒闌人散，月明星稀，
　此時總想到我的生前死後——
生前，
　去日已這般多；
死後，
　來日又這般少；

不堪回首，
　更不堪前望：
心緒煩亂，
　怎禁得不淒迷蒼惶?!
唉！
　問誰能為我理出一個模樣給我看?!

十一

世界上的人心，
　誰都沾染了一些微塵；

只有用淚洗過了的，
　永遠是潔白，清明。

十二

柔弱的淚，
　是他生命最後的一次決鬥；
所獲得的勝利，
　可憐！
　　也只有這一些模糊看不清的黯淡淚影。

—20—

十三

今夕得醉，那管明朝？
我已在人生戰場中失敗，
　再也不願久留於人間了！
苟延此殘喘，
　也只有沉汩在這杯濁酒裏，
　　或許逍遙得幾朝?!

十四

這個破殘的月，

幾時纔得歸圓?!
朋友！慢慢兒等着，
　何必這樣悵望心急？
嫦娥有情，
　想也不願讓清光久缺?!
你千萬拜託伊：
　時時刻刻要當心——
天邊淡淡的雲影，
　此後莫讓牠重來蔽翳；
一虛一盈，循環有數，

本用不着計較心情；
為願
怕苦了一個西樓望月圓的你。

十五

他們沉甜在這個灰黯不分明的夢裏，
亦多快活呢！
你為甚要分明——
何處是黑暗？
何處是光明？……

如今竟爲千頭萬緒的愁絲，
把你緊纏得
奄奄垂斃；
痛苦呢，還是快樂呢？
唉！誰要你做這個分明的淸夢！

十六

五年來的深深舊恨，
兩年來的淺淺新愁，
總是如潮也似的，

—24—

兜擁在我的心頭——
依依來去，永無寧休：
我這條還未活滿二十四春秋的生命，
已經鑄下這樣多的傷心重痕；
來日尚多，更將奈何?!
誰知道我將如何結局？——
我深願，深願
早事預備我的短刀和毒藥，
也免却臨時抱佛脚；
但，人非神明，又誰能先覺?!

十七

傍晚倦遊歸來，
　憑闌遠望——
偶地一陣微風，
送來絲絲細雨，
落下紫陽湖中，
綴起水面一團團——浮紋無數。
頓感覺——
　人面如水，
　　能得少壯幾時?!

—26—

六十過年，
同向鏡中一望——
面上有了多少浮紋数，
便知老大了幾許?!
唉！像我這樣多愁恨，
怕不到中年，
滿臉已掛上了浮紋垂垂，
快要催我南山去!!

十八

聰明人！
我們所說得到的那些同情，
不過是暫時的偶感。
看！看！
我們笑—無端端；
看！看！
我們哭—無端端；
縱能歆動他們
顏開一般，眉蹙一雙，
又算個什麼模樣？

—28—

你們可不要看着「同情」二字，
大珍重，大端詳！
爲的這個，
已經把這個世界，
鬧成遍地罪惡，
沒個乾淨場！

十九

我前生如何負下這樣多的寃債，
結了一項，又有一項?!

—25—

唉!何時可得一個總結賬?!
命苦運蹇,
此生怕無望!
只有黃鶴山下,
鸚鵡洲上,
可作我一個逍債的地方!!

二十

誰曾在這個荒蕪的園地裏,
栽種了這般多的垂柳,白楊?

—30—

究爲誰個淪落人，
　裝點好這樣一個墓地—莊嚴，淒涼？
我獨坐牆邊石磯上，
　靜聽着——
　　晚風故故地
　　　吹起牠們在蕭蕭細語——
咳！我失了魄的靈魂，
　　幾時歸來？
這里，就是你的歸息處！

二十一

同是天涯淪落人；
相逢何必曾相識?!
看君兩眼淚成血，
究為誰
這樣淒慘絕?!
朋友！你往日的胸襟，
何等拓落；
如今哭啼無端，
時作兒女泣；

—32—

還摺得一身多罣礙，
如春蠶自繭，
動彈不得；
唉！人生愁恨誰能免？
你獨銷魂至此極!!

二十二

我曾想過了前生，
亦曾想過了來世，
但總忘記了想到現在；

如今想到了，
深深地想到了，
竟無端混入在此荊棘滿途的人生場裏
掙戰，掙戰到現在—永遠是一個現在，
依然做了一個失敗的落伍者；
只跟着成功的人們，
在歷史的旋渦中，
轉了幾個廻線；
可憐！
還帶着滿臉模糊的血淚，

—34—

遠望着他們的成功者
奏着凱旋歸去!!!

二十三

誰教你走入成人世界裏，
感情一天天在心頭熾熱，
憂愁一天天在眉梢攏聚，
嘗盡人世種種味——
辛的，苦的，辣的，甜的，酸的……
待你了解世界的一切，

你纔自覺起——
索想回車重返到你
　童年的樂游地；
可是歲月無情，
將你與世界離棄！

二十四

母親！我親愛的母親！
你賜給我那顆童心，
早已不知失落在何處？

—36—

如今，兩脚踏遍天涯地角，
　還找不着牠的去處。
啊！母親！
啊！我親愛的母親！
　我離開你的慈懷，
　　已經十有年餘，
究竟於何年，何日，何月失去，
　故鄉幾千里的你，
　　固然渺不知道；
而我日勞形於苦海裏，

又何曾知道呢？
唉！我悔不該做成人，
做了成人，
便失掉我親愛的母親
賜給我那顆寶貝的童心！

二十五

我生何辜？愁恨偏多！
茫茫身世，究何結局?!
我已如驚弓之鳥，

不堪重聽弦號。

朋友！你鄭重着，

　你千萬鄭重着；

再不必搗傷我這個離人的心緒，

　讓我收拾這幾本殘書，

　　漂流海外去；

　今生有緣，

　或許能重與你一面?!

二十六

失了魄的靈魂，
我們別時曾幾何？
別後，
於我的面前，
誰敢唱一次戀歌？
只記得一個天清如水的晚上，
夜鶯曾在冷月下，
曼聲唱過一曲哀歌；
這曲哀歌，淒涼宛轉，
把我這個迷戀人生的幻夢捧破；

—40—

忙做了幾回傲慢的微笑，
微笑着一衆生們，
還苦苦，不自覺！

二十七

多羞呵！
你們是猪！你們是狗！
討得一碗冷飯吃，
不安閑家裏優游；
偏不遠幾千萬里，

來到這個灰色城裏唸書；
不知忌！太不知忌！
還故故在隔壁房裏，
時常發出一些醜惡的聲音來——
咿咿唔唔，令人作嘔；
我原悔不該到此地來，
一到此地，
便惹得遍身苦愁，
洗不盡，滌不休；
你們還要到此地來，

—42—

誰說你們不是猪?!不是狗?!

呵！你們要當心，

當心你們的將來……

千萬不要

再做第二個犧牲的我！

二十八

我將要把我滿腔被搗碎了的心片，

一一沈淪到海底，

永遠要泅落牠們

於黃沙白堆裏；
不願好事者
暗地把牠收拾起——
平鋪在
與我同病人的脚前地；
寃枉又寫了他們無數的傷心字句，
還途上許多點溪的血淚！

二十九

一張雪花白的净紙，

排在我的面前；
一張癩頭禿的短筆，
握住我的手中；
想寫…………………
也寫不出一個什麼字來；
只是凝情凝望着——
默默無語；
日日如是，
月月如是，
年年如是；

直到我受上帝裁判的一日，
纔從我的冷眼裏，
滴下幾點悲酸的熱淚來，
沾染在紙上——
一點，兩點……………
看來，雖不是什麼字樣；
但也只能如此，
纔能使人見而心傷！

三十

—46—

微風淒淒，細雨霏霏，
　撩亂了我愁恨的心緒，
　　再也織不出何樣的傷心廻文錦，
寄給我匡廬山下的遠行征人；
不織牠也吧！
　好好一塊疏淨淨的，
偏要縱橫織上這般多的諱和經，
送給他——
　　他於倉忙的風塵中，
又何能尋出我潛在內心的愁根恨緒！

三十一

我究竟爲着誰——
天天這樣頹喪呻吟，
髮愁無聊？
把自己摧傷得——
顴骨聳高高，
眼眶摳窖窖，
皮膚的底層
已換了一層灰白的色套，

唉！朱老先衰……
歎恨芮極！
長此以往，
未知此後還能活得多少歲月?!
說來，我今年
只有二十三歲呢，
在這二十三歲中，
曾經看過多少春花和秋月？
如今一重重回憶，
已成一場活幻劇，

當我看這場幻劇的時節，
多甜蜜，多情熱！
那知酒闌人散，
今日是這般淒寂！

三十一

我眞的瘋狂了呢？
不然，偌好一個大人，
又不是小孩子，
又沒有害着病；

偏無端有時流淚，
偏無端有時酸嘶；
究爲着誰？伊呢——
伊也爲着這點眞情，
曾做下如許的犧牲；
唉！我何能忘記伊呢？
除非我已
深葬在南山麓！

三十三

我生何苦來?!
　重重的新愁舊恨，
無時無刻在絞擾我的心腸；
我的心腸——斷了，碎了，
　新愁還是重重，
　舊恨還剩幾許；——
　怎禁得不教人
　　整天到晚的痛哭淚流！
　我只願，只願
　　天下與我有同樣境地的人們，

—52—

能給我一點同情和憐憫；
想他們不是涼血動物，
或許肯勸掬我流下的團團淚，
重新將我這生的愁恨，
洗滌洗滌盡？
但是，我只能這樣希求着：

三十四

楓林秋晚，黃花飄零，
我一個人，站在

那條通着幽處的曲徑頭尋思着：
我，我，誰會能忘記了我呢？
伊，伊，又誰會能忘記了伊呢？
生離吧，
　終有一日的生離！
死別吧，
　終有一日的死別！
別離的情味，
　管牠是甜蜜，
　　還是痛苦，

—54—

再也不願去回憶——
回憶也不過是這麼的一回事；
誰，
誰也尋不出一點別的意味！

三十五

青年人！
在這個冷冰冰的世界上，
你想找出一些同情來嗎？
唉，你是多傻呵！

藉使世界是有同情的，
那這部塵封蛀蝕了的歷史，
也決不至寃枉漶漫這麼多的無情血淚；
先人們，
特遺下這幾張紀念舊紙——
原是怕我們
也跟着迷了途，
做了同樣的犧牲；
可憐！人是多傻！
爲的是同情，

到底爲着同情而犧牲，
唉！人是多傻！

三十六

我失了魄的靈魂，
你幾時纔得歸來呢！
你慌忙走入這個冥途裏，
脚迹想已踏遍了，
究竟何處還有一塊光明的境地！
你速自歸來吧！

歸來，你可輕輕細語：
把你這番在歸途上
　所受風霜雨雪，
　告訴你這個淪落人
也得嚼一嚼
　究是一種什麼味！
歸來吧！速向歸來吧！
莫嫌歸途渺茫，
　　懶得回頭，
被陰風沉鍾了你！

—58—

三十七

更深人靜，
　在黯淡燈光底下，
攬鏡照着——
　我自己的形容，
已憔悴瘦損，不堪看了！
頓時，雄心勃發，
　拔劍出鞘，
想把我這生愁根恨緒，

斬除淨盡；
但是，
終沒有這般勇氣，
終底劍未出鞘，
而愁恨又擠滿在心頭裏
騷然了！
唉！此生恐永遠一落千丈
沉入在這個愁恨的深淵裏，
無從超拔呵！？

—60—

三十八

失了魄的靈魂，
　你如今也會覺悟了？
不然，爲甚
　　也彈出一樣悲哀的情調？
好！覺悟了好！
上帝已饒恕我們過去的罪惡，
我們還是揩乾眼淚，
　剩下在眼眶裏的，
還是讓牠嚥下肚子嚥去，嚥………

何必久留着
　這個煙水朦朧的悲哀國裏　——飄搖呢?!

三十九
往事何堪回首，
回首——
　我的心，一陣陣滋痛！
我只恨我自己，
我只怨我自己，
我自己，就是我的仇敵；

—62—

我要毀滅我自己，
　創造一個新的自己，
再不願這樣無聊地——
　　怨天尤人；
呵！我的前途！
　我的漂渺的前途！

　四十

喫飯着衣，
匆匆在世上，

也已活了二十三歲；
得一知己，
死無憾遺；
我今遇你——
　又何嘗不是前世的冤孽?!
前世的冤孽，
　今生結成，
許是幸，也許是不幸！
唉！還談什麼?!
最好——兩個誠懇地籲求上帝：

饒恐我們前世的罪惡，
此後不要再打落
這個驚濤駭浪的孽海裏
備受沉淪，
這樣，亦就是幸！
這樣，亦就是幸！

四十一

朋友！誰說你是聰明人？
你天天高談人生，

你天天追問人生的究竟——
有何價值和意義？
但，人生就是人生，
誰也說不出一個究竟；
聰明！你眞的聰明？
明知人生無究竟，
偏要去求究竟，
怎不苦惱自尋?!
如今，如今你在悲哀的深淵裏沉淪，
心上還受滿着

—66—

人世種種的箭痕；
唉！還談什麼人生？！
還追問什麼人生的究竟？！
人生的究竟，何處？——
桃花流水，白雲深裏！

四十二

我失了魄的靈魂，
你何處去？
——天上，人間？

任我用極悲慘的呼喊，
　他仍是不回頭，
　　向那渺渺茫茫的冥途裏走去！
呵！他不回頭，也吧！
我也只好裝殮這個臭皮囊，
　苟延着殘喘，
　　預備世界末日之將至。

四十三

朋友，你究竟爲着什麼？

這樣不平！
風也似的長嘯，
聲聲都是你殘喘的生命裏——
最後一綫的呻吟！
不忍聽！不忍聽！
到底是爲着誰？
竟使你到這般憂傷頹廢，
莫不是有人
曾把你蘊藏在內心深處的寶貝愛情
偷去了，

在暗地摧殘，蹂躪?!

四十四

我不愛看你的苦笑，
我最愛聽你的痛哭，
因爲——你哭下來的眼淚，
都是你心底深處兜上來的；
但是，
這樣哭來哭去，
又誰肯給你一些兒同情和憐憫?!

—70—

或且還帶着
　聲聲冷酷的譏笑，
在數數你黑淚糢糊的字痕？！
唉！茫茫大地，
　有幾個能了解
　　這個別有懷抱的傷心人？！

四十五

你這顆受遍了愛的傷痕的心，
　深想把牠哭出來，

給這個冷冰冰的世界上人，
　抹開眼睛細認——
　　究竟是個麼樣的結晶？
但是我怕，怕
　牠已鬱結在胸中，
　　　根深蒂固；
任你如何的悲啼慘號，
　也哭牠不出來呵！
還是及早到病院裏去，
　請請大夫們

—72—

拿塊明晃晃，
　冷淸淸的利刃，
破開你的胸膛，
　生生地剜割出來，
暴露於人跡馬蹄的大道旁，
或許可得
　一般冷情的人們
　蹙一蹙眉端！

四十六

朋友！
　你方寸的心上，
　恐怕沒有一片乾淨地，
　　未曾受着愛的傷痕；
但是，
　你也不必太自苦——
原來人世間各種各樣的悲哀滋味，
　你還沒有飽嘗盡！
這點，
　或許是你最低限度的悲哀呢?!

來日大難，
更將爲你這一綫生命，
担着無窮的心！

四十七

我們製成的那件黃金幸福衣，
已被他殘忍的孽手，
嘶碎成屑；
如今想重新把牠——
用潔淨的血淚，

點綴成一個整個的，
已是萬不可能的事；
縱能，
亦不是天衣無縫，
究又何苦來？
能！能！
還是讓牠蓋在無線的竈爐上，
燬滅淨盡，好吧?!

四十八

—76—

你們留下那枝情花的殘瓣，
還是快拋去無緣的灶爐裏，
讓這片將燼的餘燄，
一炬燬盡；
免留在這個玫瑰花的枝頭上，
蒙着塵垢，
到後來——
又要冤枉犧牲無量的血淚
去洗滌，還洗滌不了呢！
朋友！你如果要問：

這朵將殘的花瓣，
　究竟燬盡不燬盡？
那我可誠實地答覆你：
試問你的心中，
　還貯有多少血和淚！

四十九

可惜！
　你的尊貴愛情，
已經在幻夢裏泯滅！

你今生沉淪在
　這個陰霾深邃的黑海裏，
　恐無浮身的一日了！
世界對你也沒有綫兒留戀，
　你又何必再作最後的生命掙扎了！
還是讓這束殘骸，
　沉淪在此黑海底；
也得給那般魚蝦們——
　遊來遊去，回顧幾回！

五十

數月來，
　輾轉呻吟在牀第，
　　舉目無親，
　　　無人看護；
終日相伴——
只有茶甌和藥爐，
怎禁得
　不顧影自憐，
　　泣涕如雨！

唉！早知今日的淪落，
我何苦讀書?!
我何苦離父別母?!
如今
還何怨何尤?!
只願——
死神快到，
帶我到天堂裏去——逍遙遊！

五十一.

朋友！親愛的朋友！
多謝你的盛意，
送給我這瓶淡黃色的藥水；
但是，
你亦太蠢愚，
你亦太不知我的心緒——
數年相處，
還不知我害的是什麼病，
這真令人嘔心！
一瓶藥水，

可醫好我的病嗎？
朋友！對不住——
呱的一聲，
昨夜我已將綠一腳踢碎；
今朝起來，
只見牀下
幾塊破屑，零零碎碎；
探頭一嗅，
也嗅不出有何氣味？
呵！藥，

原是一些不分明的濁水，
究有何氣味？有何功用？
唉！這些濁水，
　這些不分明的濁水，
　曾騙過世上多少病人，
　曾害過世上多少病人?!

五十二

醫生說我是瘋狂，
　眞的是瘋狂?!

—84—

醫生原是好把人誆；
但是，
我這樣狂笑無端端，
這樣狂哭無端端，
說來，
精神上確有點反常；
我瘋狂，
我不瘋狂，
醫生有何幸，何樂？
怕也未必誆我吧!?

唉！可怕！可慌！
假使我眞的瘋狂，
故鄉的父母姊妹，
聽到那個噩耗，
要如何傷心，失望！
念及此——
一縷悲酸，
又蟠出我的心腸，
索想要痛哭一場；
但，眼眶裡的淚終淌不出來，

—86—

這也難怪呢——回首四望・・
有誰可對着
把我淚兒滴！！

五十三

我的朋友多如鯽——
有的胖胖些，
有的瘦瘦些，
有的長長些，
有的矮矮些，

…………………

誰都認識是誰；

但誰知誰的心？

朝夕相遇，

也不過互相點點頭，

笑一笑過去；

勉強要談幾句話，

也不過是

躲在鼓裏聽道情，

誰能了解誰的究竟?!

—88—

五十四

一切愛我的人，
假使我眞的瘋狂死了，
我只願
你們向着尸體微笑；
不願
你們做個兒女態，
抱着牠——悲啼慘號；
死了，萬事休了！

不做愛情的奴隸，
亦不做衣食的奴隸，
更不做榮譽的奴隸；
你們
只好替自己哀哭——
崎嶇人生的長途，
你們還沒有走盡呵！

五十五

你的生命，

不過是急端的灘上，
一個渺小的浪花抱影，
轉眼成空；
再也用不着一刻留戀，
更也無須留戀：
因爲，在你這個短促的生命册上，
已經留下幾張傷心的薄紙，
可値着紀念；
還點綴這樣多紅梅般的血淚，
裝點得這樣美——

將來自許有有心人來，
把鑰收藏去，
留給後來的不幸人？
這樣，
你也已經有了永久的生命，
又何苦再迷戀着
這個已被摧殘蹂躪了的一線生命呢?!

五十六

唉！朋友！

—92—

我心怪方了，圓不得，
我腸怪直了，曲不得，
我眼怪高了，低不得；
我寧願，寧願
此生永遠坎坷顛沛，
遭盡天下人的眼白；
淡飯可以充吾飢，
疏衣可以章吾身，
幾椽茅屋——
可以避風遮雨，

我何所求？……
偏要汨沒我的眞性，
套上一副假面具，
和你們携手登場做傀儡，
演出生淨旦丑……
　種種的怪劇？！

五十七

你恐怕還未覺醒，
　因爲你還迷戀生命的一切，

—94—

所以仍這樣——
　咀呪人生，
　厭惡人生，
　鄙薄人生；
假使你眞的覺醒，
那人間所有
　光，花和愛的字樣，
永不會到你．
　這個沉黑的腦海裏，
　　打幾個廻漩；

我終相信你
還沒有打破這個生的殘夢！
呵！呵！
落日城頭下的荒塚裏，
恐怕不是
　你願歸去的安息地?!

五十八
朋友，你老是
這般哀喊，呻吟，傷心，

—96—

弃到你所有編成的歌譜裏，
縱橫是血淚凝成的廻線；
彈出來的響聲，
只是毀傷有幸福人們的快樂心緒，
感着悲戚的恐懼；
朋友，你好自珍重着，
你千萬好自珍重着！
免得使
天下沈醉在葡萄美酒的有情人，
氣憤起來，

熄滅你
嘔了心血製成的幾編歌譜呵！

五十九

我生到此，
夫復何望！
名譽呢？
原是一個浮雲夢；
金錢呢？——
秋深還無禦寒衣；

美人呢？——
　不堪提起——
　　提起怕傷心！

六十

我在這個人生之網中，
曾憧破多少離合夢？
曾經過多少淚流痛？——
滴在枕畔的淚珠兒——無數，
用髮兒串上，

掛着虛帷中，
閒時——凝情望去，
有如銀河旁——星兒流動；
哦！
我二十三年來的
靑春光陰，
已無形在此
暗淡淚影中消送！！

淪落人的末日祈禱

南北山頭纍纍墓冢裏，有一封昨日的新墳，在那幾株蕭蕭的白楊樹下，葬的是一個爲着幽情探索被刺了的青年。他的蓋棺上面，聽說曾流下許許多多的情人淚痕——圓溜溜地，是他故鄉姊姊妹妹，異鄉姊姊妹妹哭給他的。

我……我故鄉的姊姊妹妹，何處？——幾千萬里，我……我異鄉的姊姊妹妹，何處？——漂渺雲裏，唉！我……我這個淪落人末日到了，有誰肯酒一掬有情的淚?!我是這樣恐懼着，總是這樣恐懼着——我的將來……！

我……我願於夜深人靜，獨自一個人揑把鋤頭，暗地把他那封鎖墓掘開，掘，掘，掘開了，就率性像鼴鼠一般的，鑽進到他那副黑漆漆的棺材裏去，深深地配他安眠着——有時和他——共話黃昏；有時又和他——深更對吟·，有時更和他舐舐棺蓋上面情人淚痕……這樣，我的末日到了，也勞不着我故的姊姊妹妹，異鄉的姊姊妹妹哭弔我了；只有他的人情淚痕，又何不可安慰我這個沉鬱幽憤的遊魂?!

—102—

朋友！我是天天這樣祈禱，祈禱你們：淪落人末日到了，實在犯不着——叫你們化幾個錢，去買一副琉璃棺沉香槨來，收殮我這個汚穢沈濁了的屍體；只要你們能把我與他同穴，得永遠舐舐他情人淚痕的餘味罷了！朋友！淪落人末日到了，只是這樣祈禱你們，只是這樣祈禱你們，

勞動節日黃昏有感而作

契闊死生君莫問行
雲流水一孤僧無端
狂笑無端哭縱有縱
腸已似冰

——曼殊詩——

覺僧編後沐畢附感

十一月九日於長春觀中

殘葉　全一册　實價大洋二角

民國十四年十二月初版　（外埠酌加郵費）

著者　賀揚靈

編者　覺僧

發行者　武昌時中合作書社

總發行所　武昌時中合作書社

分售處　各省大書店

賀揚靈先生所著的湖畔別夜出版預告：

本書內容十餘篇如歸來，湖畔別夜，微笑，離人心上恨，孤女淚，蝦蟆與姊姊，黃昏裏的鄉思，酒後，歸途，晚風前，柳眉兒，明天的蝌蚪子，憔悴，寡婆，短工，梧桐樹下，夢中等：現已付印，不日出版。

花木蘭文化出版社聲明啓事

此次《民國文學珍稀文獻集成》出版，有賴各位作者家屬大力支持，慨然允贈版權，遂使這巨大的文化工程得以開展。我社全體同仁在此向各位致以誠摯的謝意！

由於民國作者人數眾多，年代久遠且戰火頻繁，我社傾全力尋找，遍訪各地，能夠找到的後人，得其親筆授權者，爲數甚寡。更多的情況是，因作者本人下落不明，連版權情況都無從知曉。

因此，我社鄭重聲明：

此叢書所錄專著，凡有在版權期內而未授權者，作者家屬可與我社聯繫，我社願奉送相關贈書 50 冊爲報酬，補簽授權協議。

望家屬看到此通知後與我社聯繫。聯繫信箱：hml@vip.163.com

花木蘭文化出版社

2017 年秋